C000136034

Il divano

323

Andrea Camilleri

Autodifesa di Caino

Sellerio editore
Palermo

2019 © Sellerio editore via Enzo ed Elvira Sellerio 50 Palermo
e-mail: info@sellerio.it
www.sellerio.it

Per «La storia di Caino e Abele» di Dario Fo da *Poer Nano e altre storie* © C.T.F.R. srl - Archivio Franca Rame e Dario Fo. Per gentile concessione.

Questo volume è stato stampato su carta Grifo vergata prodotta dalle Cartiere di Fabriano con materie prime provenienti da gestione forestale sostenibile.

Camilleri, Andrea <1925-2019>

Autodifesa di Caino / Andrea Camilleri. - Palermo : Sellerio, 2019 (Il divano, 323)
EAN 978-88-389-4033-0
858.9208 CDD-23   SBN Pal0321546

CIP – *Biblioteca centrale della Regione siciliana «Alberto Bombace»*

Nota dell'editore

Distinguere in Andrea Camilleri lo scrittore dall'uomo di teatro, dall'attore e perfino dal cultore della perduta arte della conversazione è molto difficile.
Sono di questo parere più o meno tutti coloro che conoscono la sua opera e il suo posto nella storia della cultura italiana. E lo pensa anche lui quando afferma di essere «in fondo un contastorie». Una visione di se stesso che è in realtà già sigillata nello sforzo riuscito di creare una lingua sua, più allusiva, più emozionale, più espressiva di sé e insieme più comunicativa.
*Dal punto di vista del «contastorie» (che è autore e attore e regista del proprio spettacolo), opere quali l'*Autodifesa di Caino *(e così l'altra che l'ha preceduta di un anno* Con-

versazione su Tiresia) *possono perciò sinceramente essere viste come un coronamento, una sintesi e un congedo. E certamente come la realizzazione di un desiderio. Perché destinate non solo ad essere lette, ma anche ad essere «contate» e contate da lui. Come, appunto, un contastorie in una piazza, in un luogo aperto.*

L'Autodifesa di Caino *avrebbe dovuto essere rappresentata il 15 luglio 2019 alle Terme di Caracalla. Chi ha visto* Conversazione su Tiresia – *e tra spettacolo dal vivo al teatro di Siracusa, proiezione nelle sale e trasmissione televisiva, sono stati milioni – ricorderà quanto l'anziano maestro, figura davvero potentemente al di sopra del tempo, emanasse, tra le altre innumerevoli suggestioni, un senso di felicità raggiunta, una pienezza di sé. Una felicità che non aveva niente di egocentrico, ma al contrario sembrava incarnare la comune possibilità di essere autentici, l'occasione che è di tutti di condurre una buona vita piena di significati.*

8

Immaginiamo che la stessa aura si sarebbe levata intorno a lui alle Terme di Caracalla se la morte non lo avesse fermato. È per questo tipo di empatia, per questa manifestazione di saggezza di accoglienza e di speranza, proveniente dalla sua presenza, dalla sua voce, come dai suoi scritti, che Andrea Camilleri è per tanti ben più che uno scrittore. Così sono perennemente stati i grandi contastorie: guide che dalla quotidianità sollevano.

L'Autodifesa di Caino, questo monologo che è un interrogarsi sul male, *è il primo libro di Andrea Camilleri che pubblichiamo dopo la sua morte. Ed è per noi quindi il primo che egli non ha potuto vedere stampato. In esso, per come è ideata e compiuta l'opera, il lettore sentirà risuonare la sua voce.*

L'editore desidera ringraziare Arianna Mortelliti che, avendo sostenuto il nonno Andrea Camilleri nella rifinitura del testo in vista della messa in scena, ha collaborato alla cura di questa edizione.

Autodifesa di Caino

(Entra in scena Caino su una pedana mobile, seduto su una sedia; sottofondo musicale)

CAINO Signore e signori della corte... oddio, che ho detto? Della corte? Scusate, ho avuto un lapsus... Ricomincio.
Signore e signori del pubblico, permettete che mi presenti: sono Caino.

(pausa, aspetta una reazione che non viene)

Forse non avete capito. Sono Caino.

(altra pausa)

Caino, il primo assassino della storia umana...

Mi meraviglio. Nei secoli scorsi, appena la gente sentiva il mio nome, mi copriva di insulti, di improperi e ora invece voi ve ne state tranquilli seduti al vostro posto...

(sullo schermo appaiono immagini di soldati e civili che giacciono a terra senza vita)

In effetti, solo negli ultimi centocinquant'anni, ne avete visti di morti...
Vi siete fatti due guerre mondiali, una gran quantità di guerre locali, gli eccidi, gli stermini, i massacri, i genocidi, le pulizie etniche, le stragi, gli attentati, i femminicidi...
Avanti, diciamocelo, agli assassini ci avete fatto, come si usa dire, il callo.
E dopo centinaia di milioni di anni, c'è ancora chi ha il coraggio di dire che è stata tutta colpa mia? Che se non ci fossi stato io, avreste amato il prossimo vostro come voi stessi? Ma va'... va'...

14

Sapete qual è stato il mio vero errore?
Quello di non essermi mai difeso, di non
avere mai esposto le mie ragioni. Ma ora
basta! Questa sera ho deciso di pronun-
ciare la mia autodifesa, immaginando che
davanti a me ci sia un'aula di tribunale
e che voi, se vorrete ascoltarmi, siate i
giurati.

Ma prima devo fare un piccolissimo passo
indietro. Devo risalire fino al tempo della
creazione del mondo.

(sullo schermo immagini del big bang)

Sì, è un piccolo passo, rifletteteci, rispetto
all'eternità.
Dunque, come viene narrato nel primo
libro del Vecchio Testamento, la Genesi, Dio impiegò sei giorni a creare l'u-
niverso con i suoi abitanti e il settimo
si riposò.

Attenzione, questa è una imprecisione, l'uomo venne creato dopo.

Vedete, nei ritagli di tempo Dio si occupava di un suo giardino privato, il giardino dell'Eden, che era il suo spazio ideale e in effetti era meraviglioso. C'erano animali e piante di rara bellezza, uccelli variopinti che volavano e la terra era così fertile che i frutti ancora sul ramo crescevano tanto sugosi da rompere la scorza e colare fuori. Veniva voglia di mangiarli al solo guardarli.

Un giorno Dio stava contemplando il suo giardino.

Aveva accanto a sé l'Arcangelo Michele, che era una specie di giardiniere, e una decina di angeli che gli facevano da aiutanti.

A un tratto Dio cominciò ad essere assalito da uno strano disagio. Non ne capiva la ragione, ma ebbe l'impressione che nel giardino mancasse qualcosa.

Non sapeva che in quel momento il suo lato borghese stava prendendo il sopravvento.

Sì, il lato borghese di Dio. Perché il Signore ci rispecchia in tutto. Rispecchia i nostri difetti, le nostre virtù, i nostri vizi, le nostre bontà.

Si chiese a lungo cosa mancasse in quel giardino e a un tratto si diede una manata sulla fronte.

In quel giardino mancavano le statuine dei nanetti che sono sempre presenti in ogni giardino borghese.

Provvide subito.

Siccome in una parte dell'Eden c'era della creta, ne prese un po' e con essa sagomò il primo nanetto. Poi ne fece un altro. Poi un altro ancora. Insomma, secondo la tradizione ne fece dodici. E li dispose in varie parti del suo giardino.

Si mise a osservarli, ma invece di restarne contento venne assalito da un nuovo disagio. Il fatto era che quelle statuine non si "cataminavano" e in mezzo ad uccelli che volavano, serpenti che strisciavano, daini che correvano, fiori che sbocciavano, la loro immobilità gli dava fastidio.

Allora disse:

«Ora vado a dargli la vita».

Alle sue spalle sentì che gli angeli parlottavano tra di loro.

«Cos'hanno da dire?» domandò a Michele.

«Signore, dicono che non è cosa».

«Non è cosa, cosa?».

«Rendere vivi i nanetti».

«Perché?».

«Pensano che possano far molto danno».

«Ma va'!» fece il Signore.

E alzatosi andò ad alitare sulla faccia di ogni nanetto. Essi in un attimo presero vita.

Cominciarono subito a calpestare le aiuole, a tirare la coda ai daini, a scagliare pietre contro gli uccelli, a sghignazzare, a rin-

corrersi... Vuoi vedere che gli angeli avevano ragione?

Il Signore si terrorizzò e chiese a Michele
di aprire la porta dell'Eden. Quelli appena
videro la porta aperta si precipitarono fuori
andando a finire sulla Terra. Ma appena
uscito l'undicesimo nanetto, chissà perché,
Dio la fece richiudere. Rimase un solo
nanetto. Dio lo guardò e gli disse:

«Tu resterai qua».

E lo chiamò Adamo, cioè a dire il cretoso,
il terragno.

Badate bene che io non lo chiamerò mai
"mio padre", capirete poi il perché.

Nei primi tempi il terragno nel giardino
dell'Eden se la passava come un papa:
non faticava, non doveva cercare cibo
e non pensava, prima di tutto perché il
suo cervello allora non era adatto a pen-
sare e poi, anche se avesse potuto, che
cosa aveva su cui riflettere?

Viveva, diciamolo francamente, come un animale.

Eppure... un giorno che il Signore gli era vicino e lo guardava, osò dirgli che da qualche tempo si sentiva triste.

Il Signore cadde letteralmente dalle nuvole, no, scusate, è un'espressione poco adatta. Diciamo che Dio si meravigliò profondamente:

«Perché? Non hai qui tutto quello che ti occorre?».

«No» fece Adamo. «Padre mio, tutti gli esseri viventi che ho intorno hanno una compagna e io solo non ce l'ho».

Dio riconobbe la giustezza della richiesta di Adamo.

E quindi con la stessa creta con la quale aveva fatto Adamo, modellò una femmina bellissima.

Eva, direte voi, e invece sbagliate. Eva fu la seconda compagna di Adamo, non la prima.

La prima era una donna di straordinaria bellezza e Dio le impose il nome di Lilith. E disse ad Adamo e a Lilith:
«Congiungetevi e procreate».
Ma non fu così semplice.
Certo, Adamo sapeva come si faceva, aveva appreso tutto dagli animali. Però gli parve poco decoroso farlo come lo facevano le bestie. Pensa e ripensa, si inventò una nuova posizione che poi ebbe molto successo nei secoli a venire.
Allora disse a Lilith:
«Stenditi a terra con la schiena appoggiata al suolo e allarga le gambe».
Lilith, che non sapeva ancora dove Adamo volesse andare a parare, obbedì. Ma quando lui si pose tra le sue gambe e le si distese sopra, questa riuscì abilmente a sfilarsi e con un balzo si mise lei a cavalcioni di Adamo.
«Perché fai così?» le domandò Adamo.
Lei rispose:

«Perché non sopporto il peso dell'uomo su di me».

E ciò detto cominciò a muoversi ritmicamente sopra Adamo, il quale, nonostante il piacere, la prese per i fianchi e la sollevò.

«Macari io!» disse Adamo «non posso sopportare il peso di un altro essere umano su di me».

Lilith aveva quello che si dice ora un caratteraccio e oltretutto era una proto-femminista. Rispose:

«Tra te e me non c'è nessun rapporto di subordinazione. Noi due siamo nati dalla stessa creta, siamo uguali».

«Ti ordino di rimetterti sotto!» intimò Adamo.

Per tutta risposta Lilith gli fece uno sberleffo, aprì la porta dell'Eden e se ne andò sulla Terra.

Di lei Adamo ebbe notizia un centinaio di anni dopo, pare che se la spassasse con

gli ex nanetti che avevano intanto raggiunto il Mar Rosso.

Non passò molto tempo che Adamo tornò
ad essere malinconico.
«Ti manca la femmina?» gli domandò Dio.
«Sì, Signore».
Ma Dio, per evitare altre questioni, pensò
bene di non fargli un'altra compagna con
la stessa creta con la quale aveva fabbricato
Lilith.
La Scrittura dice che mentre Adamo dormiva il Signore gli levò una costola con
la quale modellò la femmina.
Questa storia della costola è semplicemente assurda. Perché il suo significato
ultimo sarebbe quello che la donna, in
sostanza, esiste perché esiste l'uomo.
Sarebbe stabilire, come sosteneva Lilith,
un principio di subordinazione.
In realtà Dio fece qualche altra cosa mentre Adamo dormiva.

Vedete, a quei tempi ogni umano aveva in sé l'esatto opposto del suo essere.

Mi spiego meglio.

Adamo incarnava l'essenza maschile e quella femminile. Era anche donna.

In lui aveva prevalenza la qualità maschile, ma era sempre in lui insita anche la parte femminile. Quindi Dio non fece altro che separare il lato femminile di Adamo da quello maschile.

La separazione, quella prima volta, fu netta. In altre occasioni invece lasciò una maggior qualità femminile in alcuni uomini e il contrario. E non so perché ancora oggi ci si "amminchi" nel pensarla come a una malattia, uno sbaglio e invece, credetemi, è la cosa più normale nella storia della Terra.

Al risveglio, Adamo si trovò accanto una meravigliosa creatura. Meno bella di Lilith. Ma assai più attraente, vai a sapere perché. Eva.

Prima di lasciarli Dio disse:
«Crescete e moltiplicatevi».
Beh, vedete, quel "crescete" era proprio letterale. Dio aveva stabilito che l'età dell'uomo sarebbe stata di novecento anni, il che veniva a significare che prima di procreare con Eva, Adamo dovette raggiungere l'età di far figli, cioè cinquant'anni.
Un attimo, perché prima devo fare un inciso.
Il libro della Genesi non racconta nulla di tutto questo, è molto evasivo nella sua concisione. Infatti dice che Adamo conobbe Eva e da questa conoscenza nacque Caino.
Attenzione, ecco da dove deriva il senso biblico del verbo conoscere!
Come eravamo ingenui! Pensavamo che bastasse un solo amplesso per conoscere una donna. Ci impiegheremo secoli per capire che nemmeno dopo mille amplessi riusciremo mai a capire come è una donna.

Io, siccome sulla mia origine si è detto tutto e il contrario di tutto, dovrò farvi una rivelazione.

Venni concepito proprio durante il Peccato Originale.

Le cose andarono così.

Nel giardino dell'Eden, proprio al centro, ci stava un albero di pomi. E il Signore aveva detto ad Adamo ed Eva che nessun pomo di quell'albero andava colto e mangiato da loro due, minacciandoli dei peggiori castighi. Adamo, non fidandosi di Eva, ci aveva messo il carico da undici: le aveva infatti raccontato che bastava toccare il tronco di quell'albero per morire immediatamente.

E qui entra in ballo il famoso Serpente.

Nella Scrittura è detto che il Serpente tentò Eva.

Vorrei chiarire alcune cose.

Il Serpente non era un vero serpente, era

un diavolo che di nome faceva Alialel, e che era appartenuto a quel gruppo di angeli che si erano ribellati a Dio. Aveva perduto le ali, questo sì, ma non la straordinaria bellezza.

Dunque Alialel entrò nel giardino strisciando, ma quando vide a distanza Eva decise di presentarsi a lei come l'uomo bellissimo che era.

Le si avvicinò e le domandò perché non mangiasse i pomi di quell'albero. Eva, intimorita ma allo stesso tempo abbagliata da cotanta meraviglia, rispose che prima di tutto solo toccando la corteccia sarebbe morta all'istante e in secondo luogo che quello era l'"Albero del Sapere", bastava mangiare uno di quei pomi per venire in possesso della "Somma Sapienza" e diventare quindi come Dio.

Alialel scoppiò in una gran risata:

«Ma figurati! Non avete capito nulla di ciò che vi ha detto Dio. Questo non è

l'"Albero del Sapere" ma della "Conoscenza", della conoscenza di voi stessi.
Basta uno di questi pomi e capirete come
siete fatti, come funzionano gli esseri
umani, perché la pensate in un modo,
perché agite in un altro. Insomma *nosce
te ipsum*. Mai e poi mai riuscirete a diventare che dico uguali, ma nemmeno simili
a Dio!».

Eva non sembrò molto convinta delle
parole di Alialel, allora il diavolo la prese
per i fianchi, la sollevò, la portò fino
all'albero e la sbatté contro il tronco facendo in modo che il dorso di lei aderisse
alla corteccia.

«Hai visto che non sei morta?» domandò
«quindi puoi mangiare il frutto dell'albero».

Era bastato quel primo contatto con Alialel per persuadere definitivamente Eva.
Allungò un braccio, prese uno di quei
pomi, se lo portò alla bocca e taliando

occhi negli occhi Alialel gli diede il primo morso. E subito si sentì invadere da una gioia immensa. Divorò il frutto sempre occhi negli occhi con Alialel e questi ne approfittò per possederla a lungo.

Ecco, in quell'amplesso sono stato concepito io, Caino, e con me anche Calmana, la mia sorella gemella di una bellezza strabiliante.

Però prima di andare avanti devo, per onor di cronaca, dirvi che ci sono tante altre versioni.

C'è chi sostiene che io sia figlio di Adamo ed Eva, ma destinato già dalla nascita al male perché allattato al seno dalla prima peccatrice.

Poi è stato detto che appena Eva ebbe mangiato il frutto si vide comparire davanti l'Angelo della Morte che le disse:

«Te l'aveva detto Dio, te l'aveva detto: se disobbedisci ti toglierò la vita».

Eva si terrorizzò. Ma ebbe la prontezza di chiedere all'Angelo:

«Mi dai solo cinque minuti?».

L'Angelo della Morte, perplesso, acconsentì.

Allora Eva colse un altro frutto e raggiunse correndo Adamo, glielo offrì dicendo:

«Vedi, io ne ho già mangiato uno e non solo è buonissimo ma sono ancora viva. Mangiane anche tu».

Badate bene, non lo fece alla Shakespeare, cioè per morire romanticamente assieme, ma solo per evitare che Adamo dopo la sua morte si sposasse con un'altra.

Tutte queste però sono solo storielle!

Come voi sapete, quando il Signore apprese che Adamo ed Eva avevano mangiato il frutto proibito, scatenò l'ira di Dio.

E cacciò fuori dal Paradiso Terrestre la coppia maledicendola e dicendo loro che sarebbero vissuti con molto stento sulla Terra, la quale avrebbe dato pochi e magri frutti, che Adamo si sarebbe rotto la schiena nel vano tentativo di dissodarla e che Eva avrebbe partorito con molto dolore.

Infatti, quando Eva ebbe le prime doglie del parto, i dolori furono talmente lancinanti che la donna cominciò a gemere e a urlare, contorcendosi tutta.

Adamo in quel momento era molto lontano ad esplorare certe terre d'Oriente. Però, le grida di dolore di Eva gli giunsero alle orecchie e capì che sua moglie stava partorendo. Si inginocchiò e pregò il Signore perché intervenisse facendola smettere di soffrire.

Dal Cielo scesero dodici angeli e si posero alla destra e alla sinistra di Eva. Tra questi c'era l'Arcangelo Michele, il quale passò la mano su di lei dal viso al seno, dicendole:

«Sii benedetta, Eva, a causa di Adamo. Grazie alle sue suppliche e alle sue preghiere sono stato inviato a prestarti il nostro aiuto. Preparati a partorire il tuo bambino!».

Fu così che nacqui io.

Mia madre mi raccontò che io fui in grado di correre già quasi subito dopo il parto e che la prima cosa che feci fu di andare a cogliere un fuscello di canna e offrirglielo con un gesto amoroso.

Avete presente i bambini che si reggono a stento sulle gambe quando, caracollando, corrono verso la madre e le offrono con un gran sorriso un pezzetto di carta di giornale o un bottone?

Ebbene quel pezzetto di carta, quel bottone hanno un valore immenso perché contengono tutto l'amore che un bimbo può avere verso la propria madre.

Dunque io non sono figlio di Adamo, ma discendo dal seme di un angelo decaduto che quando voleva, secondo le Sacre Scritture, si trasformava in un serpente.

Tutt'altra origine ebbe invece mio fratello Abele.

Dopo un po' che Adamo ed Eva erano stati cacciati via dal Paradiso Terrestre, Eva cominciò ad avvertire un certo appetito. I due si guardarono attorno. Erano in un luogo spoglio e desolato dove non cresceva nessun albero, solo un poco di erba gialliccia. Allora Eva disse:

«Non è giusto! Torniamo indietro, andiamo a protestare».

Adamo si rifiutò. Forse per codardia? O per troppo rispetto della volontà divina? Ad ogni modo si allontanò ed Eva andò sola a bussare alla porta dell'Eden. Venne ad aprirle l'Arcangelo Stefano:

«Che vuoi?».

«Il Signore mi ha condannata a partorire con dolore. Non mi ha condannata a morire di fame. Voglio entrare e cogliere qualche frutto».

«Non se ne parla nemmeno» rispose l'Arcangelo «tu non potrai mai più mettere piede qua dentro».

Eva si mise a piangere. Allora l'Arcangelo s'intenerì.

«Aspetta fuori» disse «te li porto io i frutti».

E fu di parola. Eva lo vide ritornare che aveva le mani e le braccia colme di pere, mele, banane. Lei prese la frutta e si voltò chinandosi per deporla a terra.

Dovete sapere che Eva usava indossare una semplice foglia di fico e solo sul davanti. Facendo quel movimento venne a scoprire all'Arcangelo Stefano una prospettiva per lui inedita. E l'Arcangelo non seppe resistere. E venne concepito Abele.

Naturalmente Eva si guardò bene dal raccontare ad Adamo come erano andate le cose e quindi per Adamo, io e Abele eravamo suoi figli.

Devo fare una piccola considerazione a margine.

Come vedete l'infedeltà coniugale nacque contestualmente alla prima e unica coppia del mondo.

Traetene voi le conclusioni.

Anche Abele ebbe una sorella gemella di nome Debora.

Allora Dio faceva così per popolare il mondo.

Fu per questo che sospese momentaneamente la colpa dell'incesto. Onde per cui si usa dire tra i siciliani "cu futti futti e Diu pirduna a tutti".

Adamo però ci teneva alle apparenze, e pensò che fosse più giusto che io sposassi Debora e che Abele sposasse la mia gemella.

Ma come ho già detto la mia gemella Calmana era bellissima, mentre quella di Abele a malapena si poteva definire "carina".

Io obbedii ad Adamo sposandomi con Debora e nello stesso momento ordinai ad Abele di darmi sua moglie in nome della primogenitura.

Abele si rifiutò nettamente e questo fu il primo screzio tra di noi.

Una leggenda rabbinica racconta che il litigio tra noi due avvenne per il possesso di nostra madre Eva. Ma questo non è assolutamente vero.

Una notte la mamma fece un sogno, e cioè che io ammazzavo mio fratello Abele e ne succhiavo il sangue. Eva riferì questo sogno ad Adamo il quale, per evitare liti fra noi due, decise che io diventassi un agricoltore padrone di tutta la terra del mondo, mentre Abele diventasse un pastore e possedesse tutti gli animali della terra.

Un giorno Abele mi disse che dovevamo fare delle offerte a Dio. Lui scelse il più paffuto tra gli agnelli che aveva e s'avviò. Io pensai che il mio primo gesto d'amore era stato quello di portare un fuscello di canna a Eva e quindi ne presi alcuni, ne feci un mazzetto e seguii Abele.

Quando arrivammo al cospetto di Dio e Gli consegnai il fascio di canne, Egli mi guardò con sdegno e poi mi disse: «Ma non ti vergogni di farmi un'offerta simile?».

Io stavo per spiegargli perché non Gli avevo portato i migliori frutti della mia terra, ma Lui tagliò corto, non ascoltò le mie ragioni e ringraziò Abele invece per la meravigliosa offerta dell'agnellino.

L'umiliazione infertami da Dio mi ferì molto. Il mio dolore era chiaramente visibile.

E Abele? si chiede Elie Wiesel, premio Nobel per la Pace.

Abele non si muove. Non fa niente per consolare il fratello, né niente per divertirlo, per calmarlo. Lui, che è responsabile della prostrazione di Caino, non fa niente per aiutarlo. Non si duole di niente, non dice niente. È semplicemente assente, sta lì, senza esserci realmente. Sogna senza dubbio mondi

37

migliori, cose sacre. Caino gli parla e lui non ascolta. O ascolta, ma non sente. Ecco in che cosa Abele è colpevole. Di fronte alla sofferenza, di fronte alla solitudine, nessuno ha il diritto di nascondersi, di non vedere. Di fronte all'ingiustizia, nessuno deve voltarsi dall'altra parte. Chi soffre ha la precedenza su tutto. La sua sofferenza gli dà un diritto di priorità su di voi. Quando qualcuno piange – e questo qualcuno non siete voi – ha dei diritti su di voi, anche se il suo dolore gli è inflitto dal vostro Dio comune.

Alcuni studiosi ebraici in seguito hanno teorizzato che in un primo momento io mi rifiutai di fare offerte a Dio sostenendo che Egli non avesse gli stessi bisogni naturali dell'uomo: non mangiava, non beveva, non dormiva e infatti quando apprezzava l'offerta ZOT! un fulmine la inceneriva all'istante.

Ma credetemi, io avevo voluto semplicemente compiere nei riguardi del Signore
lo stesso atto d'amore che avevo avuto
nei confronti di mia madre.
La goccia che fece traboccare il vaso fu
però un'altra.
Io, come Dio col giardino dell'Eden, avevo
curato, con una fatica del diavolo, è il
caso di dirlo, un pezzo di terra facendone
un orto stupendo, dove cresceva la più
appetitosa verdura della Terra.
Figuratevi quale fu la mia rabbia quando
un giorno quest'orto venne invaso da una
mandria di pecore di Abele che in un
attimo lo devastarono mangiandosi tutto
il raccolto.
Io mi precipitai da Abele per fargli le mie
rimostranze e con una certa veemenza,
non lo nascondo, e anche con qualche
insulto, non nascondo nemmeno questo,
gli rinfacciai cosa avevano fatto le sue
pecore.

E lui serafico mi disse: «Va bene, allora mi ridai le pelli con le quali ti copri e mi restituisci anche la carne delle mie bestie di cui ti sei servito senza chiedermi il permesso».

Quindi come vedete i moventi per l'assassinio furono diversi.

Non solo, Alialel mi era comparso in sogno a dirmi:

«Ammazza Abele e sua moglie sarà tua. Calmana ti appartiene di diritto, perché siete nati e cresciuti nello stesso grembo».

Ma dopo un po' che continuavo a protestare, Abele reagì di brutto. Mi mise le mani addosso, era più forte di me e poco dopo che ci eravamo avvinghiati, gli fu facile abbattermi. E poi mi montò sopra e cominciò a tempestarmi di pugni. A un tratto mi paralizzai. Lessi, atterrito, nei suoi occhi uno sguardo che mai avevo veduto prima, quella che voi oggi chiamate "volontà omicida". In quell'istante per la prima volta sulla Terra venne concepito un assassinio.

Le sue pupille si trasformarono: prima divennero rosse per il sangue che gli era affluito, poi bianche come il ghiaccio, fredde, gelide.
Lo sguardo assassino di Abele.
Egli in quel momento di certo voleva ammazzarmi. Se io lo avessi lasciato fare sarebbe stato lui il primo assassino della storia del mondo.
Vedete, non è semplice come può apparire e cioè che io ero condannato al Male perché figlio di un diavolo e Abele destinato al Bene perché figlio di un arcangelo.
No, il male è insito in noi nell'attimo stesso in cui veniamo al mondo.
Ebbi appena la forza di sussurrare piangendo di risparmiarmi la vita.
E lui si commosse e si levò da sopra di me. Mi aiutò a rialzarmi e qui commise

un errore perché io presi la mano che mi porgeva e la strattonai con tutta la forza che avevo facendolo cadere a sua volta. Gli montai di sopra.
Dopo quello che avevo letto nei suoi occhi ero certo che prima o poi mi avrebbe ucciso.

Abele e Caino s'incontrarono dopo la morte di Abele. Camminavano nel deserto e si riconobbero da lontano, perché erano ambedue molto alti. I fratelli sedettero in terra, accesero un fuoco e mangiarono. Tacevano, come fa la gente stanca quando declina il giorno. Nel cielo spuntava qualche stella, che non aveva ancora ricevuto il suo nome. Alla luce delle fiamme, Caino notò sulla fronte di Abele il segno della pietra e lasciando cadere il pane che stava per portare alla bocca chiese che gli fosse perdonato il suo delitto. Abele rispose: «Tu hai ucciso me, o io ho ucciso te? Non ricordo più: stiamo qui insieme come prima». «Ora so che mi hai perdonato davvero» disse Caino «perché dimenticare è perdonare».

Avete sentito? Era il vostro Borges.
Uno di noi due doveva morire.
Agii solo per quella che voi oggi chiamate "legittima difesa".

E qui nacque il problema: come si fa a uccidere un uomo? Non avevo precedenti ai quali riferirmi.
I suoi pugni mi avevano fatto molto male, ma non mi avevano dato la morte.
Allora, cominciai a morderlo con quanta forza avevo. Addirittura strappandogli lembi di carne.
Lui urlava, si dibatteva, perdeva sangue, ma restava vivo. Siccome a portata di mano avevo una canna acuminata, cominciai a trafiggerlo con essa. Niente da fare.
A un tratto la canna si spezzò.

Con uno scatto supremo delle reni, Abele mi disarcionò e prese strisciando ad allontanarsi. Allora io lo colpii forte con un ramo in mezzo alle spalle. Lui si appiattì sulla terra a faccia sotto e io lo colpii senza sosta sulle gambe, sulla schiena, ma lui continuava ad allontanarsi, strisciando come un serpente e lasciando una scia di sangue dietro di sé.

Mi sedetti esausto sopra una pietra a riflettere. Tanto, conciato com'era, non sarebbe potuto andare lontano.

Fu allora che mi ricordai come faceva lo stesso Abele a uccidere gli animali.

Mi guardai attorno, scelsi la pietra più grossa che c'era e, reggendola con le due mani, mi avvicinai a mio fratello che intanto era riuscito a voltarsi, ma poteva solo guardare il cielo perché non aveva la forza di stare in piedi. Arrivato all'altezza della sua testa lasciai cadere la pietra.

Alcuni, compreso il vostro poeta Shakespeare, sostengono che io lo uccisi con una mascella d'asino, ma si tratta solo d'una fantasia poetica.

Rimasi a lungo a contemplare il cadavere. Poi, siccome nelle vicinanze scorreva un ruscello, andai a lavarmi. Mi sentivo sporco, mi lavai di nuovo. Ebbi per un attimo la tentazione di restare così, in mezzo all'acqua e continuare a lavarmi per giorni interi. Poi mi scossi e tornai presso il morto.
Mentre lo guardavo mi sentii assalire da un senso di colpa. Ma perché?
Da nessuna parte stava scritto che non bisognava uccidere.
La voce del Signore non aveva ancora proclamato «Non ammazzare».
Ma io sapevo, dentro di me, che ero colpevole.
Fu per questo che volli nascondere il cadavere di mio fratello. Ma come fare? Lo

trascinai fino al ruscello, lo buttai in acqua. Ma il ruscello non era così profondo. Per un attimo fui terrorizzato perché vidi le sue mani muoversi. Poi capii che era la corrente a dargli quel movimento. No, lo si vedeva benissimo il cadavere.

Lo ritirai fuori dall'acqua e me lo caricai sulle spalle. Mentre facevo qualche passo, curvo sotto quel peso, davanti a me si posò un corvo nero. Teneva nel becco un altro corvo morto. Mi fermai a guardarlo. Il corvo si liberò della carcassa che teneva nel becco e con esso cominciò a scavare una buca. Poi prese la carcassa, ce la mise dentro e ricoprì il buco con la terra. Quindi se ne volò via.

Di certo, era stato Alialel a darmi quel suggerimento.

Cominciai a scavare. Prima con le mani, poi quando presero a sanguinare, col ramo di un albero.

Mi ci volle un tempo infinito, perché

Abele era un uomo dalle dimensioni gigantesche.

Finalmente ce la feci a metterlo dentro e lo ricoprii con la terra che calpestai a lungo per renderla più compatta. Stavo per allontanarmi soddisfatto, quando sentii un rumore mai udito prima. E con una sorta di rombo cupo la terra si aprì e il corpo di mio fratello affiorò in superficie.

Poi una voce che veniva non so da dove risuonò alle mie orecchie:

«Mi rifiuto di essere complice del tuo delitto».

Era la voce della Terra.

Mi ricaricai il corpo di Abele sulle spalle e ripresi a camminare.

Tentai due o tre volte ancora di seppellirlo, ma ogni volta la Terra lo faceva riaffiorare.

Errai così per quaranta giorni e per quaranta notti, intanto i corvi e altri animali feroci dilaniavano il corpo mentre io lo trasportavo.

Finalmente un lembo di terra, evidentemente mia amica, accettò di ricevere il cadavere. Me lo segnai quel posto mettendovi grosse pietre in cerchio.

Questo è il fatto nudo e crudo.

Ma voi non avete la minima idea di quello che generazioni e generazioni di uomini hanno prima raccontato e poi scritto su di me, ed io, io Andrea Camilleri, sono troppo vecchio per riferirvi tutto.

(proiezione video di Dario Fo da La storia di Caino e Abele*)*

«*Oh Signore, come sei stato buono te, che hai fatto venire fuori il sole alla mattina, invece che potevi benissimo farlo venire fuori anche al pomeriggio... Oh Signore, come sei stato bravo te, che hai fatto andare gli uccelli che volano, nel cielo azzurro, e invece i pesci, in dell'acqua!... e non ti sei neanche sbagliato!... Oh Signore... Ciao!...».*

Tutte le mattine, l'Abele diceva così le preghiere del buon mattino... e tutta la gente che era venuta giù dabasso per ascoltarlo, ci facevano un mucchio di applausi e ci dicevano: «Come l'è bravo l'Abele e che inventiva che ci ha».

A letto c'era il suo fratello Caino che sentiva gli applausi che ci facevano al suo fratello Abele... saltava giù subito dal letto, «coi so' ugitt picul e i pe' piatt»... e di corsa veniva alla finestra e diceva:

«Anch'io, anch'io la preghiera del buon mattino!». E cominciava:

«Oh Signor d'amore acceso, non t'avessi mai offeso... oh mio caro... oh mio caro buon... me ricordi pu!!!...».

«Oeu, che stupit quel lì» diceva la gente giù dabasso. «Ma come fa un fratello così bello con gli occhi azzurri e i riccioli d'oro

averci un fratello in sci stupit e cunt i pe'
piatt come el Caino!».
Lui sentiva e ci veniva il magone... pover nano!
«Ma non prendertela così» diceva l'Abele.
«Piuttosto andiamo giù nella pubblica via,
dove c'è la gente gentile che poi ci dice le
parole gentili».
«Andiamo... andiamo...» diceva il Caino...
e andavano giù dabasso indove c'era la gente
gentile che appena li vedevano passare dicevano:
«Oeu, ma come fa un fratello così bello
con i riccioli d'oro e gli occhi azzurri come
l'Abele, averci un fratello con j' ugitt picul
e i pe' piatt come 'l Caino». Lui sentiva e
ci veniva da piangere... pover nano!
Allora l'Abele ci diceva: «Non prendertela
così... andiamo là dove c'è il pozzo che noi
ci facciamo la voce dentro e viene fuori
l'eco gentile».
«Andiamo... andiamo dall'eco gentile» diceva il Caino... e andavano là indove che c'era

il pozzo... l'Abele si affacciava e faceva:
«Uhuhuhhhh...». E l'eco rispondeva:
«Uihieiuhiiiii». E tutti i colombi che c'erano
intorno che volavano nel cielo pieni di gioia!
«Anch'io, anch'io l'eco gentile» diceva il Caino... e si affacciava anche lui nel pozzo e
faceva: «Uhuhuuuu». E l'eco rispondeva:
«Uahuaeiuuuuhaaaiiahh». E tutti i colombi
che volavano spaventati nel cielo! E il Caino
ci rimaneva male e ci veniva da piangere,
pover nano! «Ma non prendertela così...»
ci diceva l'Abele. «Andiamo là in del
prato dove ci sono tanti fiori colorati che
ci hanno un profumo gentil».
«Andiamo... andiamo» diceva il Caino... e
andavano là in del prato e davver c'erano
un mucchio di fiori colorati col profumo
gentile... e l'Abele andava vicino ad un fiore
più bello dove c'era su un'ape e ci faceva:
«Oh ape... oh ape apina... come sei carina
tu... ciccicici...».
E l'ape apina ci andava sulle labbra dell'A-

bele e ci dava un bacio! Come l'era bravo
l'Abele!

«Anch'io l'ape apina» ci diceva il Caino e
andava lì e faceva:

«Oh ape, ape apina... come sei carina tu...
cicciccicciiiiiii».

E tach una cagnada sul dit! «Porco qua,
porco là...» diceva il Caino.

«A chi porco qui porco là» diceva il Signore
venendo fuori dalle nubi...

«No, Signore, non prendertela così...» diceva
subito l'Abele. «Egli non sa quello che si
dice!».

«Cosa non so quello che si dice!» gridava il
Caino «guarda qui che cagnada che 'l m'ha
fà!». E prendeva su un bastone che ci era lì
e tach... una gran legnata sulla testa dell'A-
bele... che cadeva per terra... morto... pover
nano... e allora il Caino c'è rimasto male...
pover nano!...

E questa era la versione comica di Dario

Fo, ma passiamo a cose più serie. Qualcuno ha scritto che alla notizia della morte di Abele, per opera mia, Adamo ne ebbe tanto dolore che "accurzò", s'"innanì"... scusate non mi vengono i verbi... Mi spiego, Adamo era un uomo altissimo, alcuni esagerano e dicono addirittura che la sua testa sfiorasse il primo dei sette cieli. Bene, per la morte di Abele diventò nano. Un mio detrattore, un fantasioso autore di cui, scusatemi, io non ricordo il nome, scrisse che io ad Abele succhiai il sangue *post mortem*, un altro si inventò che, prima di seppellirlo, gli tolsi il vestito e lo indossai, tutti mi scambiarono per Abele e io lo feci credere. Un giorno venne un tale a propormi un baratto, cioè una grossa quantità di fieno contro dieci buoi. Io accettai, entrai nel recinto e scelsi dieci buoi, i quali però fecero resistenza e non vollero seguirmi. Il tale si meravigliò:

53

«Perché i buoi si rifiutano di venire con te?».

«Boh» feci io.

In quel momento i buoi uscirono dal recinto, si disposero in fila come le ballerine del *can can* e si misero a cantare in coro:

(voce registrata con musica di accompagnamento)

Questo non è il nostro padrone,
colui che ci dava la paglia col forcone
questo è il fratello assassino
che uccise Abele, si chiama Caino!

Roba da film comico musicale americano. Tra tutti questi denigratori non posso però tralasciare gli gnostici che sostenevano che allora all'atto della nascita gli uomini venivano al mondo coperti da una rugiada d'oro e che fu la mia colpa a fargli perdere questa specie di vernice luminosa. In realtà intendevano dire che io feci venire alla luce la bruttura dell'uomo e delle cose.

Poi ci furono anche i Cainiti che, abusando del mio nome, si dedicavano alle più turpi azioni.

Infine i Padri della Chiesa, che non mancano mai. Sant'Ambrogio che si inventò addirittura che io disprezzavo Dio e Sant'Agostino che mi stigmatizzò come il creatore della "Città del Male" contrapposta alla "Città di Dio", di cui Abele sarebbe stato il fondatore e il sindaco.

E poi ci si misero anche i poeti, i pittori, i filosofi e i romanzieri... Poteva mancare Dante? No. E infatti non manca! Egli addirittura chiamò "Caina" la prima zona del nono cerchio dell'Inferno, dove si trovano gli uccisori dei consanguinei.

Ma notate bene, non mi incontrò tra i dannati semplicemente perché non c'ero. Vi dirò poi il perché.

Per Metastasio fui colui che si intristiva

delle fortune altrui, quello con lo sguardo fosco e la faccia torva.

Alfieri addirittura s'inventò un nuovo genere letterario, la "tramelogedia", un misto tra tragedia e melodramma a tinte fosche, dove mi definì turpe fin dal primo vagito.

E Byron, il quale scrisse una tragedia in cui io rimprovero Dio perché trovo eccessiva la pena della morte inflitta all'uomo a causa del peccato originale.

Tralascio gli infiniti oratori musicali che vennero creati da Palestrina e da altri musicisti, sempre dipingendomi come il creatore del Male.

Dio! Che confusione che fanno...

Mi fermo qui per ora.

Io fui semplicemente colui che mise per primo in atto il male. Che compì l'azione del male. Tramutando ciò che era in potenza, in atto.

Torno al racconto dei fatti.

Nel preciso momento in cui avevo finito di seppellire mio fratello, sentii risuonare la voce di Dio.

«Caino! Dov'è tuo fratello Abele?».

La risposta mi venne da sé. Quasi senza pensarla:

«Che ne so, non sono io il custode di mio fratello».

Ma subito dopo, quelle parole non mi sembrarono mie. E stavo per confessare al Signore la mia colpa quando Lui continuò:

«Che hai tu fatto?».

Volevo rispondere, ma la voce mi si strozzò in gola. Era troppo difficile parlargli della mia colpa. Fu allora che Dio disse:

«La voce del sangue di tuo fratello grida a me dalla Terra».

Caddi in ginocchio. Congiunsi le mani.

«Potrai Tu perdonarmi?».

Ad un tratto si materializzò davanti a me.

Mi guardò a lungo negli occhi. Non riuscii a sostenere il Suo sguardo, però quello sguardo provocò un cambiamento in me. All'interno della mia testa, dentro il mio cervello qualcosa mutò. Come se degli ingranaggi si fossero messi in movimento.

Capii che in me era penetrata la forza della Ragione.

Infatti prima che Lui potesse rispondermi continuai:

«Perché m'hai chiesto se l'ho ucciso dato che Tu avevi già visto tutto?».

«Volevo sapere se ti eri pentito, ma tu non ce l'hai fatta a parlare».

«È stato il pentimento che mi ha negato la parola».

«Devo sentirtelo dire» disse Lui fermo.

«Signore, ho ucciso mio fratello Abele, ma se Tu sai tutto sai anche che prima lui era intenzionato a uccidermi».

«Però non l'ha fatto».

«E questo che mi viene a significare?

Avere pensato di uccidermi non è la stessa cosa che avermi ucciso?».

«No, non è la stessa cosa. Lui ha operato una scelta. Voleva ucciderti, poi ha scelto di lasciarti in vita. Avresti potuto fare lo stesso, ma tu hai fatto un'altra scelta. Questo finché vivrà il mondo sarà l'impegno dell'uomo: fare le giuste scelte».

Mentre mi parlava le mie membra cominciarono a tremare, e non potevo fermarle.

«Tu stai tremando» disse Dio «e così sarà fino alla fine dei tuoi giorni. E anche la Terra sulla quale poserai i piedi, tremerà».

«Qual è la mia pena, Signore?».

«Andrai ramingo e fuggiasco per il mondo».

«Signore» replicai io «ma chiunque mi incontrerà e mi riconoscerà come Caino potrà uccidermi?».

«No, dovrai a lungo espiare la pena vivendo. Nessuno dovrà ucciderti. Avvicinati a me».

Sempre in ginocchio mi mossi e arrivai davanti a Lui. Mi mise una mano sul capo e poi la levò. Proprio dove aveva posato il palmo cominciò a spuntare un'escrescenza carnosa assai simile al corno di un animale.

«Ecco» disse Dio «ti ho messo sulla testa un segno di riconoscimento. Nessuno tocchi Caino. Tu morirai dopo la settima generazione o almeno tutti ti crederanno morto, ma il tuo corpo invece continuerà a vivere».

«Grazie, Signore».

«No, non ringraziarmi. Vivere per l'eternità sulla terra è il male peggiore che possa capitare. E ora levati dal mio cospetto».

Ecco, questo è stato il mio dialogo con Dio.

Alcuni scritti cabalistici sostengono un'altra versione, io ve la riferisco, così, per curiosità, e anche perché per secoli molta gente ci ha creduto.

In sostanza Dio mi avrebbe cacciato via dalla Terra, spedendomi sulla Luna. Infatti durante il Medioevo perfino alcuni studiosi credettero che le macchie lunari rispecchiassero me coperto da un fascio di spine. Addirittura i bambini intonavano una cantilena che iniziava così:

(voce registrata di bambini)

Vedo la luna, vedo le stelle,
vedo Caino che fa le frittelle,
vedo la tavola apparecchiata,
vedo Caino che fa la frittata.

In un poema cavalleresco francese del tredicesimo secolo si racconta che l'eroe Ugone, errando per le contrade dell'Asia, giunto ad un'isola ignota ai geografi, Abilant, e salito sopra un monte, in una spianata vide una botte che rotolava con grande fracasso. Nella botte piena all'interno di serpi e irta di chiodi sono chiuso io, che dovrò restarci fino al Giorno del Giudizio.

Questa è pura fantasia, Dio ti può condannare a morte, ma non ha mai praticato la tortura che è il vilipendio del corpo e dell'anima.

Io, prima di ucciderlo, ho torturato Abele, ma l'ho fatto inconsapevolmente, solo perché cercavo il modo d'ammazzarlo.

Dopo tutte queste falsità vorrei riportarvi una voce che si levò a mia difesa. È quella di Giordano Bruno, che durante il processo che lo condannò a morire orrendamente bruciato vivo sul rogo, dichiarò che:

Cain fu huomo da bene e che meritamente uccise Abel suo fratello, perché era un tristo e carnefice d'animali. Cain ragionandosi di quei che ammazzavano li animali, mostrava d'haverli compassione e diceva che faceano male, e che Abel era stato un carnefice.

Quindi per Bruno io non sarei un assassino, ma un giustiziere. Pensate, lo dico a favore della tesi di Bruno, che allora gli animali parlavano la nostra stessa lingua che era la medesima di quella di Dio. Uccidere un animale era uccidere una creatura di Dio, come creatura di Dio era l'uomo.

Anche la voce di Gioachino Belli si è levata in mia difesa. E l'ha fatto, naturalmente a modo suo, con un sonetto:

Nun difenno Caino io, sor dottore,
ché lo so ppiù dde voi chi ffu Ccaino:
dico pe ddì che cquarche vvorta er vino
pò accecà l'omo e sbarattajje er core.

Capisch'io puro che agguantà un tortore
e accoppacce un fratello piccinino,
pare una bbonagrazia da bburrino,
un carciofarzo de cattiv'odore.

Ma cquer vede ch'Iddio sempre ar zu' mèle
e a le su' rape je sputava addosso,
e nnò ar latte e a le pecore d'Abbele,

a un omo com'e nnoi de carne e dd'osso
aveva assai da inacidijje er fele:
e allora, amico mio, tajja ch'è rosso.

Per dovere d'onestà devo aggiungere che nel periodo moderno e contemporaneo il giudizio sul mio operato si è molto modificato. Parecchi scrittori, drammaturghi, poeti, da Hugo a Unamuno, da Hermann Hesse a Ugo Betti, da Giuseppe Ungaretti a Mariangela Gualtieri, a Saramago e tanti altri hanno sostenuto che io fui, piuttosto che un assassino, una vittima delle circostanze.

Torno al racconto dei fatti.
Mi levai dal cospetto di Dio e cominciai a errare per il mondo.

Solo, povero. Mi nutrivo d'erba e di bac-
che, nessuno mi concedeva l'elemosina,
se trovavo un riparo per la pioggia ne
venivo subito cacciato via. La voce che
io fossi un assassino, chissà come, si era
sparsa sulla Terra.
Un giorno i miei piedi iniziarono a sanguinare per il lungo cammino, nessuno
mi prestò aiuto e non so per quanto tempo
andai avanti strisciando, così come aveva
fatto Abele per sfuggirmi.

L'Onnipotente che mi insegue è ovunque.
Insegue la mia anima come
il vento, come la raffica di sabbia mi attra-
                              [versa, come
l'aria mi circonda! Potessi non essere più
completamente, morire
sì, le cose che non hanno mai avuto vita né un
soffio di movimento sulla terra, guarda! sono
                              [preziose
ai miei occhi, che un uomo potesse

vivere senza respiro senza
niente che passi nelle narici, sposare
il buio il nero un puro spazio vuoto.
Sì giacere giacere nel fondo non alzarmi mai
                                        [non
sorgere non muovere un braccio una gamba
                                        [fino
a essere muto come la roccia nella tana
quando il leone vi appoggia la testa, per
                                        [dormire.
Perché il torrente che urla lontano
ha una voce: le nuvole nel cielo guardano
                                        [su me
terribilmente. L'Onnipotente che è contro
                                        [di me parla
nel vento del bosco di cedro, e in silenzio
                                        [mi prosciuga.

(Samuel Taylor Coleridge)

Poi un giorno mi tornò in mente che il
luogo dove avevo sepolto mio fratello mi
era stato amico, e allora mi diressi proprio

lì, nella terra di Nod. Poco prima di arrivarci venni fortunatamente raggiunto da mia moglie Debora e da nostro figlio Enoch, che da lungo tempo si erano messi sulle mie tracce.

Con somma sorpresa, da lontano vidi che nel luogo dove avevo seppellito Abele c'erano alcune persone in piedi, a capo chino. Non parlavano, immobili come statue. Quando arrivai a un passo da loro m'accorsi che pregavano a fior di labbra.

Non so perché, ma una forza superiore mi spinse in mezzo a loro. Anch'io mi raccolsi in preghiera e sentii pervadermi l'anima da una gran pace. Loro non mi notarono o forse non vollero notarmi e allora io non potei trattenermi dal dire: «Sono Caino».

Non ci fu quasi reazione, solo il più vecchio di loro si avvicinò a me e disse: «Ti aspettavamo. Noi siamo quelli che vivono nel ricordo del nome di Abele».

Allora capii che finalmente ero arrivato alla fine del mio lungo errare e lì, proprio attorno a quel cerchio di pietre, avrei raccolto la prima comunità di umani e che sempre lì avrei fatto sorgere la città che nel lungo peregrinare m'ero ripromesso di costruire. Una vera città con case di pietra.

Quella sera stessa, mentre ci dividevamo uno scarso cibo attorno al fuoco, io esposi loro il mio progetto. Si dichiararono d'accordo.

Stabilimmo che avrebbero raggiunto i luoghi da dove venivano per tornare poi assieme alle loro famiglie. All'alba ci abbracciammo e restammo soli io, mia moglie e mio figlio.

Quella notte io, Enoch e Debora dormimmo stretti dentro il cerchio di pietre che emanava un tepore che ci conciliò il sonno. Io ero esausto e la luce del sole non mi svegliò. I miei mi lasciarono dormire per due giorni e due notti di seguito.

A poco a poco quelli che erano andati via tornarono con mogli e figli. In tutto eravamo un centinaio di persone. Così cominciammo, con molta fatica, a scegliere e a trasportare le pietre che sarebbero servite per costruire le case. Impiegammo tre mesi e alla fine la città di Enoch – la volli chiamare come il mio primogenito – cominciò a vivere.

Assieme al vecchio che per primo m'aveva parlato e il cui nome era Malachia stabilimmo la prima legge a cui tutti si sarebbero dovuti attenere: il rispetto reciproco.
Nessuno e per nessun motivo poteva alzare la mano su un fratello, pena l'esilio dalla città. Le eventuali liti si dovevano esporre a Malachia, il quale sarebbe stato il giudice unico e le cui decisioni erano inoppugnabili.
Capitò dopo un po' di tempo un fatto strano e, nello stesso tempo, per me entu-

siasmante: alcune persone che si erano imbattute nella nostra città chiesero di restarci. Accogliemmo la loro richiesta e stabilimmo che la città sarebbe stata aperta a tutti. Donne, uomini, vecchi, bambini. L'accoglienza era un imperativo categorico, assoluto. E questa fu la seconda legge.

Dopo qualche decennio, mentre la mia famiglia si ingrandiva di figli e figli dei figli, la città non riuscì più a contenere tutti, e allora decisi di farne sorgere una seconda, e poi una terza, e poi una quarta. Insomma, io fui il creatore di sette città.

Sapevo che si avvicinava il tempo della mia morte ma non la temevo più.

In quegli anni tutte le mie energie erano volte alla costruzione delle mie città e a come far vivere meglio le comunità che le abitavano.

Vi faccio qualche esempio.

A quei tempi si usava il baratto e quindi sorgevano di continuo questioni sulla quantità e il valore dello scambio. Allora una notte pensai ad un sistema di pesi e di misure che potesse, come dire, valutare concretamente l'oggetto del baratto.

La mia idea funzionò ma il trasporto delle merci da barattare era sempre difficoltoso. E allora immaginai che il valore della merce, dopo essere stata pesata e misurata, potesse essere rappresentato da un simbolo e quindi inventai la moneta.

Poi un brutto giorno arrivò la siccità. Per un anno non cadde un goccio di pioggia e quindi gli agricoltori non ebbero più i mezzi per comprare le sementa. Allora misi su una sorta di banca che anticipasse ai contadini il necessario. L'interesse che la banca proponeva era basso. Ma si sa, l'uomo è ladro, e quindi ci furono molti casi di truffe. Con Malachia stabilimmo una regola assoluta contro le frodi ma fummo più clementi con chi peccava di astuzia, indispensabile negli affari.

Ricordo ancora perfettamente la meraviglia di quando mi vennero a dire che Ezechiel aveva scoperto che il ferro messo sopra il fuoco poteva essere modellato con una pietra!

Corsi immediatamente dall'uomo che mi mostrò come avesse fabbricato al piano terra della sua casa una sorta di forgia, dove il fuoco ardeva continuamente.

Era vero e immediatamente colsi la grandiosità di quella scoperta.

Feci sorgere così la prima piccola fabbrica di oggetti in ferro.

Dio sembrava essersi scordato di me ma io non mi scordai di Lui e volli che in ogni mia città sorgesse una casa: la "Casa della Preghiera"; era aperta a tutti e chiunque poteva pregare il suo Dio nel modo che più gli era consono.

Ecco, cominciai a creare, e questo mi fu riconosciuto da tutti, le basi della società moderna, quella che sarebbe diventata la vostra civiltà.

La Civiltà dell'Uomo.

Non è un caso che un filosofo come Max Weber abbia affermato che il capitalismo affonda nell'antichità le sue radici religiose.

Un giorno decisi di fare una lunga passeggiata tra i sentieri rigogliosi che collegavano le mie città per vedere l'estensione delle terre che avevo popolato.

Ora, dovete sapere che un mio discendente di settima generazione, Lamec, era un appassionato cacciatore. Andava a caccia con arco e frecce.

Divenuto semicieco continuò a soddisfare la sua passione facendosi accompagnare dal figlio che in vista della preda lo posizionava e lui scoccava la freccia.

Quel giorno io ero fermo dietro un cespuglio per osservare una pianta che non avevo mai visto prima. Senonché, in quel momento sopraggiunse Lamec con il figlio e questi quando intravide il mio corno, che come certamente ricorderete Dio aveva messo sulla mia testa, lo scambiò per quello di un animale e posizionò il padre. Lamec scoccò la freccia che mi colpì in piena fronte.

Io caddi riverso.

Come seppi dopo, il figlio corse per prendere la preda ma si accorse con orrore che ero io e allora si mise a urlare:

«Papà, papà, hai ammazzato Caino!».

Lamec sconvolto alzò le braccia al cielo e poi con violenza le abbassò battendo con tale forza i palmi delle mani l'uno contro l'altro, che il figlio, arrivato accanto a lui, ne rimase stritolato.

Ma il Signore mi aveva condannato a vivere, quindi dopo un po' mi rialzai in

piedi. Mi accorsi subito che mi ero tra-
sformato: il mio corno non c'era più e
compresi che avevo scontato la mia pena.
Ero diventato un uomo come gli altri.
E questa, capii, era stata la volontà di Dio.
Da allora nessuno mi riconobbe più come
Caino.

Ma io sono certo che se mai il Signore mi
ha perdonato lo ha fatto per un'altra
ragione.
Un giorno mentre visitavo la città di
Rodec vidi su dei rami alcune nervature
di animali tese ad asciugare al sole.
«Cosa sono?» chiesi a un altro dei figli di
Lamec. Egli mi rispose che ne faceva corde.

Io presi tra due dita uno di quei nervi, lo
tirai verso di me e lo lasciai andare e
subito sentii una strana vibrazione. Gra-
devolissima.
Era un suono armonioso. Così presi con

75

l'altra mano un secondo nervo e feci la stessa operazione. Ottenni il medesimo effetto. Allora li tirai tutti e due contemporaneamente. Ne venne fuori un suono dolcissimo.

Dissi al ragazzo di prendere quei nervi e fissarli dentro un cerchio di legno in maniera che stessero ben tesi. Dopo due giorni egli mi portò quanto gli avevo ordinato. Era la prima rudimentale cetra e il ragazzo fu il primo a imparare a suonarla.

Una volta che me ne stavo disteso in un canneto sentii il vento che entrava e usciva dai buchi delle canne producendo un rumore.

In breve, mi inventai il flauto di canna dei pastori.

Mi fu facile poi, adoperando una pelle di capra essiccata, creare il primo tamburo.

Insomma, sono stato io a inventare la musica.

La sublimazione dell'uomo.

Per curiosità vi dirò che lo scultore

Andrea Pisano nella torre di Santa Maria del Fiore a Firenze ha eseguito dei bassorilievi, forse suggeritigli dall'amico Giotto, dove sono rappresentate queste mie invenzioni.

Ecco io so, ne sono sicuro, che davanti a Dio l'avere inventato la musica sia valso più di ogni sincero pentimento.

La musica, ha scritto infatti Hermann Hesse, è basata sull'armonia tra Cielo e Terra, è la coincidenza tra il disordine e la chiarezza.

Sono quasi arrivato alla fine della mia autodifesa.

Come avrete notato, quello che in sostanza volevo dirvi è che non esiste la predestinazione e che Dio ha ragione, possiamo scegliere.

La razza di Caino, e questo posso dirlo a testa alta, non ha prodotto assassini. Semmai l'opposto.

Ma attenzione, voi dimenticate troppo in fretta il male che avete causato. D'altronde, dopo l'esperienza di alcuni milioni di anni sono arrivato a una conclusione. Devo confessarvi che non sempre dal bene nasce altro bene e che non sempre il male genera altro male.
Ma di questa affermazione vorrei condividere la responsabilità con un grande attore e regista come Orson Welles.

(sullo schermo un breve spezzone del film «Il terzo uomo» di Carol Reed con battuta di Orson Welles)

In Italia per trent'anni sotto i Borgia ci furono guerre, terrore, omicidi, carneficine, ma vennero fuori Michelangelo, Leonardo da Vinci e il Rinascimento.
In Svizzera non ci fu che amore fraterno, ma in cinquecento anni di quieto vivere e di pace che cosa ne è venuto fuori? L'orologio a cucù.

Io dunque continuo a vivere in mezzo a voi. Forse perché ormai sono diventato solo un simbolo. Un simbolo necessario, perché senza il male il bene non esisterebbe. Dio l'aveva pensato prima di tutti noi, come era logico.

Ho finito davvero. Non voglio che pronunciate il vostro verdetto ora. Riflettete su quanto vi ho raccontato questa sera e poi decidete da voi. Secondo coscienza. Vi auguro una buona notte.

Indicazioni bibliografiche

Qui di seguito diamo le indicazioni bibliografiche sui brani citati nel testo:

La Sacra Bibbia, Salani, 1991.

Louis Ginzberg, *Le leggende degli ebrei*, vol. I, Milano, Adelphi, 1995.

Elie Wiesel, *Personaggi biblici attraverso il Midraš*, Firenze, Giuntina, 1975.

Jorge Luis Borges, *Elogio dell'ombra*, traduzione di Francesco Tentori Montalto, Giulio Einaudi Editore, 1971.

Dario Fo, «La storia di Caino e Abele» da *Poer Nano e altre storie*, www.archivio.francarame.it.

Il processo di Giordano Bruno, Roma, Salerno editrice, 1993.

Giuseppe Gioachino Belli, *Caino*, in *Tutti i sonetti romaneschi*, a cura di Marcello Teodonio, Roma, Newton Compton, 1998.

Samuel Taylor Coleridge, *Gli smarrimenti di Caino*, Firenze, Franco Cesati editore, 1985.

(Ricerche bibliografiche a cura di Arianna Mortelliti, Laura Pacelli e Fiorenza Petrocchi).

Indice

Questo volume è stato stampato
su carta Grifo vergata
delle Cartiere di Fabriano
nel mese di novembre 2019

Stampa: Officine Grafiche soc. coop., Palermo

Legatura: LE.I.MA. s.r.l., Palermo

Il divano